VOL. 7
악마에 입문했습니다! 이루마 군
OSAMU NISHI

& STORY 캐릭터 소개 & 줄거리

스즈키 이루마

지나치게 착해빠진 상냥한 소년. 부탁을 받으면 거절을 못 한다. 위기 회피 능력이 뛰어나다. 인간이라는 사실을 들키지 않고, 악마 학교를 평온하게 다니고 싶다.

아스모데우스 아리스

파괴와 미덕을 관장하는 가계의 악마. 입시 수석인 우등생. 입학식에서 이루마 때문에 체면을 구기고 발끈하지만, 결투로 완패한 후 이루마에게 충성을 맹세한다.

《특기 마술=화염계 주문》

《가계 마술=한번 본 물건은 뭐든 주머니에서 꺼낼 수 있어!》

발락 클라라

밝고 활기찬 여자 악마. 항상 야단법석에 조용할 때가 없어서, 주위로부터 괴짜 혹은 희귀 짐승 취급을 당한다. 이루마의 상냥함을 접하고 감동해서, 좋은 친구 중 한 명이 된다.

CHARACTERS

로노웨 로미엘

선도 바트라의 단장이자 눈에 띄고 싶어 환장한 자. 학생회장 자리를 노리며, 아메리의 학생회에 「해산 선거」로 도전한다.

악식의 반지 (아리 씨)

이루마의 손가락에서 빠지지 않는, 마력을 담아두는 반지. 어찌 된 건지 의지를 지녔으며, 대화할 수 있게 됐다. 이루마의 랭크와 관련이 있는 것 같은데…?!

아자젤 아메리

고결하고 아름다운 바비루스 학생회장. 악마 학교를 대표하는 여걸이지만, 누군가에게 습격을 당해 얌전한 소녀가 되는 마술에 걸리고 마는데…?!

지금까지의 이야기

지나칠 정도로 착해빠진 스즈키 이루마는 인간 말종인 부모님에 의해 악마에게 팔려버린다. 하지만 마계로 이루마를 데려간 악마, 설리번의 바람은 「손자가 되어달라」는 것이었다. 그가 이사장인 바비루스의 학생이 된 이루마는 허둥대면서도 즐거운 학교생활을 시작한다. 학교의 과제와 이벤트를 통해, 그의 마계에서의 랭크가 「3」으로 승급된다. 랭크가 「3」이 되자, 착용하고 있는 악식의 반지(통칭:아리 씨)와 대화를 나눌 수 있게 된 이루마. 아리 씨와 마술 연습을 하다 우연히 여장을 한 모습을 아메리 회장에게 보여주고 만다. 아메리는 그의 근성을 뜯어고치기 위해, 학생회 바트라에 이루마를 영입하기로 결의. 학생회장으로서, 이루마와 함께 학생회의 바쁜 업무를 처리하던 어느 날… 아메리는 정체불명의 악한에게 습격을 당해, 얌전한 성격이 되는 마술에 걸리고 만다. 게다가 학생회장의 자리를 빼앗으려 하는 선도 바트라의 로노웨로부터 「해산 선거」로 도전을 받는데! 완전히 자신감을 상실하지만 이루마의 격려를 받고 정정당당히 「해산 선거」에 임한 그녀. 그 결과는…?!

CONTENTS

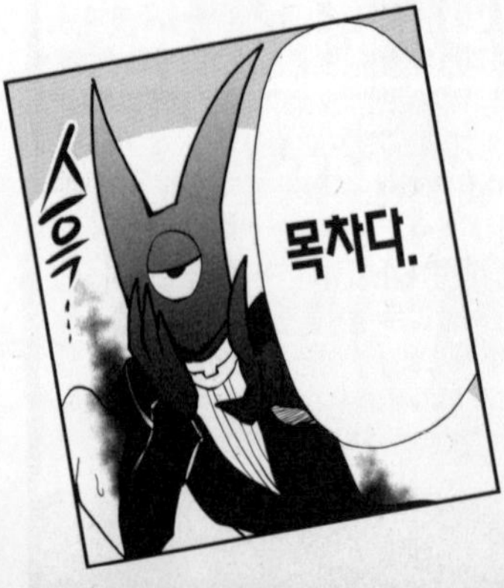

스윽…
목차다.

오늘 아침은 생선이었어요. 과식했다니까요.
훗
해이해졌구나. 또 러닝에 참가하겠느냐?
아, 괜찮아요. 해이 해진 건 아니에요.
학생회 여러분은 어떻게 지내고 있나요….
뚜벅
평소와 마찬가지로 업무에 힘쓰고 있지.
네가 나가서 좀 아쉬운 것 같다.
뚜벅
앗
그런 가요.
아메리 씨는요?
벅
뭐, 딱히 문제는 없어.
제53화 새로운 야망

오우 오 오오 회오
평소 대로지.
오오ㅡ 멋져ㅡ
회장님ㅡ!
회장님ㅡ!!
아메리 회장님ㅡ
끝내줘ㅡ!!
아메리 님ㅡ!!
회장님ㅡ
꺄아ㅡ 좋은 아침입니다
회장님ㅡ!

제53화 새로운 야망

이번 선거는
회장님의
압승이다.
각오는
됐겠지?
로노웨.
로노…
로노노
….
물론 바트라는
해산할게,
상심로노웨….
훌쩍
훌쩍
그게
아냐!!
회장님에게 건
마술을
말하는 거다!
이 자식이
감히…!
로로로?!
척
상심
로노웨

무슨 이야기야?! 로노웨는 화려하지 않은 짓은 안 해!!
이게… 시치미를….
저기….
방금, 전화가 왔는데….
범인… 잡았대요….
…뭐?!
짜자ㅡ안

2학년
엘리고스 시넬.
마술 개발 바트라와 게임 바트라에서 빌린 도구로
독자 향수를 제조하는 그를 잠복 수사 끝에 체포했습니다.
이 자식!! 무슨 속셈이냐! 감히 회장님의 실각을 노려?!
크….
크크큭 ….
?!
어리석어…. 내 야망은 회장의 실각이 아냐….
더 숭고하고 위대하지….
그래! 내 야망은 —…

가련해진
아메리 회장님을!!
이 눈에 새기는
것이다아아앗!!
우오오옷
…뭐?
앗.
시넬이면
아메리
회장님의
친위대원
이냐!!
대장
이다!!
번
쩍
쭉 회장님을
봐왔다….
항상 용맹하고
당당하셨지….

그러니
쉽게 보기 힘든
회장님의
가련~한 모습도
보고 싶었다….
아니, 봐야만
하는 것이다!!
나는
대장으로서의
사명을
다했을 뿐…
버럭
고오 오 오 오 오
이다….
오오
오오
좋다.
그렇게
나를 보고
싶다면
특등석에
안내해주지.
오

학생회
단련 업무
50배
코스!!!
옛설!!
두
아아
아
아
아룽
아
끼야아아아아야야
장
다음은
로노웨의
처우인데….
학생회에
들어오지
않겠느냐?

뭐?!
이번에는 꽤 궁지에 몰려서 재미있었지.
벌떡
…주목 받을 수 있어?
업무는 혹독하지만, 결과를 내놓으면 주목 받는 일거리도 맡겨주마.
그럼 좋아!!
부활!!
으어~
학생회를 빼앗기게 되어도 난 모른다고~.
흥
흥
그렇게 나와야지.

대단해
대단해
예-이
자아, 학생회도 인원이 늘어나게 됐으니…
이루마.
되게 낯 두껍네… 회장님, 그냥 쫓아 버리죠…
그럼 로노웨의 환영회를…
선택해라.
너는 연수에 합격했다. 마구 개발 바트라의 재개를 인정해주지.
하지만 학생회로서는 너를 영입하고 싶다.

남겠느냐?
꾸욱…
아뇨.
학생회에서 몸과 마음을 엄청나게 단련했어요.
정말 귀중한 체험이었고, 즐거웠죠.
그런 만큼

학생회 여러분의 야망에 편승해 휩쓸리는 게 아니라
제 야망을 찾기 위한 활동이 하고 싶어졌어요.
그리고…
마구연에 돌아올 사람이
있을지도 모르니까….
…그래.

확실히 너한테는
그쪽이 어울리겠지.
이리하여 연수는 종료됐고
범인인 시넬은 러닝 중입니다~
다 같이 사진 찍어요!
로노웨가 앞에 설래!
새로운 체제의 학생회도 무사히 발족.
—건강해 보여서 다행이에요.
그럼 다음 독서회는 내일…. 네.
삐앗
이야—
다 잘됐네~~.

단상 위에서의 풍경이 계기가 되어서 자기 야망에 일편단심이던 시절을 떠올린 거야.
마지막 끈이 풀린 거지.
정말 대단한 사람이잖아.
이루 도령의 여자친구!
빙글
빙글
아, 아냐!!
아 그럼 희귀 짐승 쪽?
꺄아!
그런 사이가 아니거든?!
정말, 그만해!!
뭐
이루 도령은 그렇게 생각하지 않나 봐….
하아…
그, 그것보다
계기가 「풍경」이었단 말이지!
오
화제를 돌렸어.

마술은
아메리 씨의
마음 중
어디에
걸려 있었던
걸까.
글쎄—
의외로…
「귀여운 채로
있고 싶다」는
부분 아니었을까?
어.
이루 도령이
귀엽다고
생각해줬으면
한 거 아냐~?
에이 에이
그럴 리가
없잖아.
정말—
통화종료
이루마
후우…

무지 무지
두근
긴장 했어…!!
두근
두근

어 버버버
펴, 평소처럼 이야기한 걸까…?!
얼굴이 빨개졌을 지도….
전화라서 다행이야! 아, 목소리가 티 났을까…??!
정말 성가시네!!
이게 사랑이란 건가!!
두근두근
얼굴을 쳐다보려 해도 너무 눈부셔서 똑바로 못 보겠어!!
곁에 있기만 해도 마음이 흐트러지고
멋진데다 귀엽기까지… 뭐가 뭔지 모르겠네!

끙
역시 학생회에 잡아둘걸 그랬나~.
긁적
긁적
너저분…
탁
스윽…
스륵
스륵
나는… 여자라기엔 너무 씩씩해….
좀 더 귀여운….
아냐.

어떤 모습이라도 당신은
멋진 여성이에요.
……
이대로도 괜찮아.

하아….
야망이
하나 더
늘어버렸어….
스윽…
이루마는
각오 단단히
해야겠는걸….
나는 야망에
일편단심이니
말이야.

오랜 학생회 업무로
짜잔!
정말 수고 많았구나. …그리고
짜잔!
어서 오렴! 이루마 ~~!!
척
제54화 정반대의 이루마

이것도 먹으렴.
네.
이거 맛있어.
달그락
춥진 않니?
수프도 드시죠.
네.
달그락
무사히 돌아와서 다행이야~~.
정말로요.
응
고마워요.
훈훈~
응
응
흑
흑
하아~~. 이 공기! 안심돼~.

와하하하
오늘 밤은 놀자~
털썩!
하아~~.
응
맞아….
엄청난 환·대인걸~.
슈우~
이런저런 일로 좀처럼 집에서 느긋하게 지내지 못했거든….
슉~
확실히 이런저런 일이 있었지~.

큐룽
악마돌 이루미라든가! 이 몸도 좋아하거든?
잠깐, 어디서 그 옷을….
훗
크롬의 공식 사이트에서 라이브 영상 한정 공개 중~.
악마돌에, 학생회에, 선거에….
전부 좋은 경험이 되지 않았어?
그건 그렇지만 ….
※악마의 「나쁜 짓 하고 싶은」 마음이 강해지는 주기.
아메리 씨의 성격 개변의 원인도 몰랐고, ※악주기도 그래….
끔뻑…
나는… 악마에 대해서도, 다른 이들에 대해서도 잘 몰라….

그러니 나는 더 많은 것을… 알아야…
해…….
꿈뻑…
어라?
꿈뻑…
쿠울~
…흠.
이루 도령한테도 생각이 있나 보네.
이렇게 되면 이 아리 씨가 한 팔 걷어붙이도록 할까…요.

톡
으음—….
악주기와
성격 개변…
어느 쪽을
먼저….
톡톡
한 번에
해버릴까.
톡톡
나빠
져라~.
나빠
져라~.
나빠
져라~….
갸-스
갸-스

터엉어
굿 모닝~.
이루마~.
아침밥 다 됐단다—!
꾸물…
날씨도 좋으니 산책이라도 좀 하는 게 어떻겠니♡
물론 나도….
…고.
어?

아침부터
되게
시끄럽다고.
할아버지.
쩌저적
댕그령

아~….
변변한 기사가 없네──.
왕의 교실 보수중
더 줘.
아, 아아아, 네.
바로 내오겠습니다….
어, 어어, 크흠, 어떻게 된 걸까요….
이이이, 이루마가 학생회에 들어가더니… 삐뚤어졌어!!
학생회에 항의할 거야아 아아아 아 아
우에에 에엥!!
딩동──!!

이루마 님!
좋은 아침입니….
자.
터억
씨익..
들고 싶었지?
들어.
어, 앗….
네!
그래
클라라는 오늘도 기운차네.
어.
아, 응!

끼이익!
덜컹
앗, 이루마다!
웅성 웅성
안녕~. 이루마~ ….
훗…

스…
어…
앗.
어어?
웅성
웅성
웅성
두 두 둥

뭐가 어떻게 된 거야? 이루마… 맞지?
평소와 분위기가 다르네….
아리스ー.
마실 것 좀ー.
아리 ….
네!!
클라링, 어떻게 된 거야?
으ー음….
클라라.
휙
휙
추워.
탁
탁
어.
옥.

역
터
오
오오~
쉬익~
뭐야.
구경났어?
쉬익~
안
응,
구경났네.
이루마의
악주기는
장난
아니네….
아하!
아하,
악주기
구나!
역시
이루마 님!
그야말로
왕의 품격!

평소에는 꽃이 휘날리는데….
지금은 검은 깃털이 날리는 느낌?
아―
맞아―
아무튼 자극하지 말고
그냥 내버려 두자.
어?
담요입니다
쉬익~
추워…. 그리고 뭔가 냄새나는 것 같지 않아?
쿵
하아
그건….

영차.
터엉
오—
있었구나. 어브노멀 클래스!
이거, 여기 둬도 되지?
너희가 알아서 치워~.

나는 이 교실은 무리야
잉야ー
이게 뭐야…?
퍼억
다른 반의 쓰레기야.
쓰레기장
공용 쓰레기장이 저쪽에 있는데
귀찮다고 여기 두고 가는 거지.
악취가 심하니 우리가 치울 거라면서 말이야.
어브노멀 클래스
1학년 탑
벽은 왜 이래?
呪
스트레스 푼 거 아닐까? 쓰레기 버리러 온 녀석들이 멋대로 한 짓일 거야ー.
뭐 하하하하
이제 익숙해져서 전혀 신경 안 쓰이지만ー….

찰칵
라파이아.
화르륵

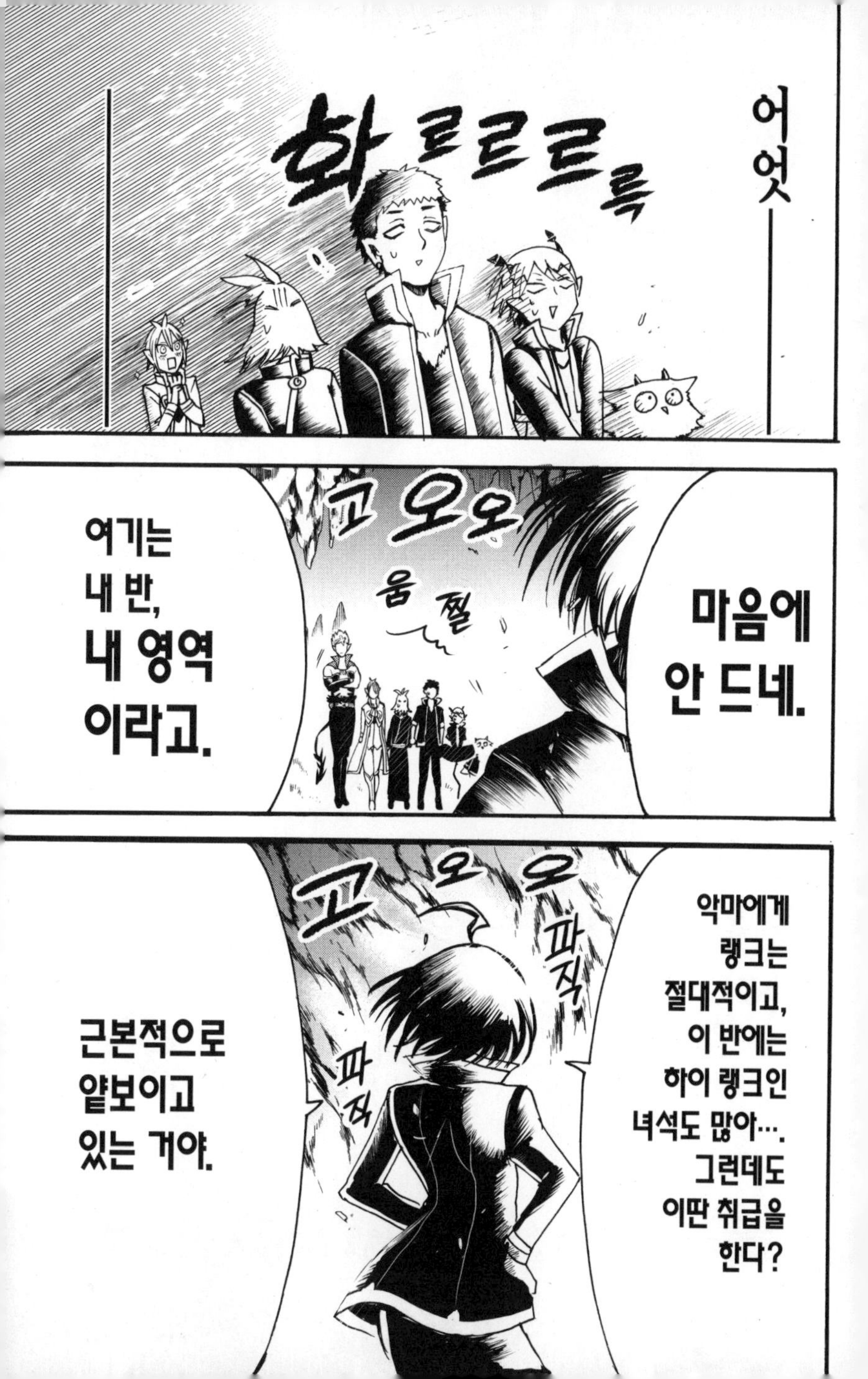
어엇
화르르르륵
고오오
움찔
마음에 안 드네.
여기는 내 반, 내 영역이라고.
고오오
파직
파직
악마에게 랭크는 절대적이고, 이 반에는 하이 랭크인 녀석도 많아…. 그런데도 이딴 취급을 한다?
근본적으로 얕보이고 있는 거야.

결심했어. 나는 이 헛간에서
성으로 옮기겠어.
고오오오오

뭐?
제55화 왕의 교실(로열 원)
이루마가 학생회에서 잘렸다고?!
벌써?
진짜?!
소문으로는 아무짝에도 쓸모가 없어서 잘랐다네.
하하하하
근성이 없잖아.
하아~
나, 얼마 전에 개를 봤는데, 엄청 작고 약해빠져 보이더라.
웅성
웅성
뭐, 어브노멀 클래스는 그런 낙오자를 모아둔 데잖아──?
슥……
투욱
야, 아프잖아.
어딜 보는……

거….
벅

로열 원
제55화 왕의 교실
저

어부어부 어부
어브노멀 클래스??!
재네가 왜 이 탑에…?!
금사자 사브노크다! 엄청 크네 ───.
진짜 아스모데우스 님이야!!
이루마 님, 처벌할까요?
아~
아냐, 됐어.
확
재는 「3」인 재즈잖아.
선두는 이루…마?
부딪쳐서 미안해.
아,
아녜요.
미안해

바이바이~
다음에는 할 말 있으면 면전에서 하라고.
어, 앗. 네!
뭐가 약해 보인다는 거야.
두근
두근
나, 존댓말 썼어….
교무실
술렁
술렁

씨익ㅡ
어브노멀 클래스의 교실 이동을
요구 한다.

이 자식….
갑자기 여기까지
행군해오더니,
뭐 그딴 범죄 성명문
같은 소리를….
그리고
평소와 달라도
너무 달라
보이는데….
음음
나는
이제까지
너무 욕심이
없었어….
카르에고
선생님도
알고
있을 텐데?
우리들
어브노멀
클래스의
교실은
너무 열악해!
학생의
학습 환경을
정비하는 건
학교 측의
의무 아냐?
뭐어?
학습?
애초에!
왜 격리할
필요가
있는 거냐고!
우리의
어디가
문제아(어브노멀)
라는 건데?!
——….
하아…

털
썩
스즈키 이루마.
입학식에서의 폭행 행위과 건물 파괴 등등.
공범,
아스모데우스 아리스.
척
이루마 님과의 멋진 해후였습니다!
그야말로!

사브노크 사브로.
교사에게의 폭력 행위 및 건물 파괴.
교사를 쓰러 뜨리면 랭크가 오를 줄 알고….
안드로 M 재즈.
학생 및 교사의 금품 도난.
버릇 이라서 ~~.
이런
아까도 무심코 훔쳤어.
크로켈… 은 넘어 가고.
훽
샤크스 리드.
함께 도박을 한 학생 여섯 명이 병원행.
그게— 노는데 너무 열중 해서….
카임 카무이.
파아아 아앗
여학생 및 여교사 에게의 성희롱 행위.
한 점의 후회도 없습 니다.
발락은 발락 했지.
네!
오늘도 기운 넘쳐!!

그 외에도
기물 파손, 위험 지역 무단 출입, 금지 약품 반입 등
입학 후로 반 배정 때까지의 짧은 기간에 너희가 일으킨 사건은 셀 수도 없을 정도…
라는 보고를 받았다만 …?
…….
나불
나불
나불
찰싹
찰싹
보고파일
버럭
우리의 어디가 어브노멀하다는 거야!!
누가 봐도 어브노멀 그 자체잖아!!!
——뭐, 격리까지는 납득하겠어.

하지만 그래도 대우가 너무 나빠.
클라라, 지도 좀 준비해줄래?
알았어.
쓰윽
어브노멀 클래스는 여기….
수업 이동 및 등교도 힘들어.
쓰레기장도 가깝고 건물도 낡아서 추위와 더위도 심하다고.
지하
1-危
쓰레기
지상
1학년 탑
거기 말고는 격리할 교실이 없으니 어쩔 수 없지 않느냐.
에이.
있잖아.

『왕의(로열) 교실(원)』을 열라고.
왕의(로열) 교실(원).

과거 마왕이 사용한 교실.
학교 측에서 철저히 보전하고 있으며, 현재는 이용되고 있지 않다.

1학년탑과도,
교문과도
가까워.
무엇보다
「로열 원」
이라는
그 품격이
마음에 들어.
파직
파직
파
지지직
그곳은
우리 학교가
자랑하는
명예 교실이다.
네놈들 따위가
거기를 쓰겠다니,
주제를 알아라.
쩌릿

파직
파지직
이루마….
이건….
크크큭
따위라….
그럼
증명해주지.
스륵…
우리가
「로열 원」을
사용할 자격이 있는
학생이라는 걸
말이야.
바비루스
교원
과반수의
이동
허가서를
스륵
파지직
2주 안에
모아오겠어.

어때?
스읍…
교직원 전원의 허가서.
사흘 이내…. 또한

왕의 유물을 쓰는 만큼, 거기에 걸맞은 리스크도 각오를….
찰싹
네ー
교섭 성립.
?!
약속 지키라고, 선생님.
껑충
엄숙하게 말이지.
아ー
약속 해버렸네~.
…….
엄숙하게!
엄숙하게ー
바이바ー이
아하하하핫!
카르에고 선생님의 반은 여전히 재미있네요!
하~
바보일 뿐입니다.
저기ー 괜찮은 거예요?
네ー 네ー
—….

드르륵
왓!
오
오, 훔쳐 듣는 거냐?
좋네
아, 그게…….
히힛
설마 「로열 원」 앞에 쓰레기를 버리진 않겠지?
저벅
지
진짜로 「로열 원」으로 옮기는 건…….
에이, 말도 안 돼!
하하하
마, 맞아!
하하하하

으음
무리야.
아무리 생각해도 사흘 안에 전원은 무모해~.
음?!
「로열 원」이 탐나지 않는 게냐?!
아니
탐나긴 하지만
그 정도 조건은 충분히 예상했어.
뭐어?!
정말?!
나는
무리이기에 의미 있다고 생각해.
바비루스 전체가 우리를 다시 보게 만들 기회라고.

어디 해보자고.
우리가 교사 전원을 농락하는 거야!
셔~억
선봉은 너야, 안드로 M 재즈!!
카르에고 경의 소지품을 훔쳐 와!!!

이루마가…?
제56화 문제아 동급생
어브노멀 클래스메이트
네.
카르에고 선생님을 데려오라네요.
방긋
흥
이미 포기한 건가.
그럼 직접 오라고 해라.
아뇨ー.
보는 눈이 없는 편이 좋을 것 같은데요.
카르에고 선생님 한테도요.
…

흥
성가 시군….
정말 …….
성가신 소리를 들었어….
카르에고 선생님의 소지품을 훔쳐 오라니….
나는 무료 봉사를 가장 질색하는데….
마왕의 교실이 달려 있잖아.
저기—
그거 말인데——.

솔직히 말해 꼭 이동하고 싶은 건 아니거든?
하면 좋겠다 싶은 정도야.
교사는 서른 명 이상….
사흘 안에 전원의 허가서는 어렵겠소이다….
음 음
지금 교실도 그렇게 싫진 않고, 문제아 취급을 당하는 것도 꽤 재미있거든.
맞아ー
그래서야.
뭐?
따라와.

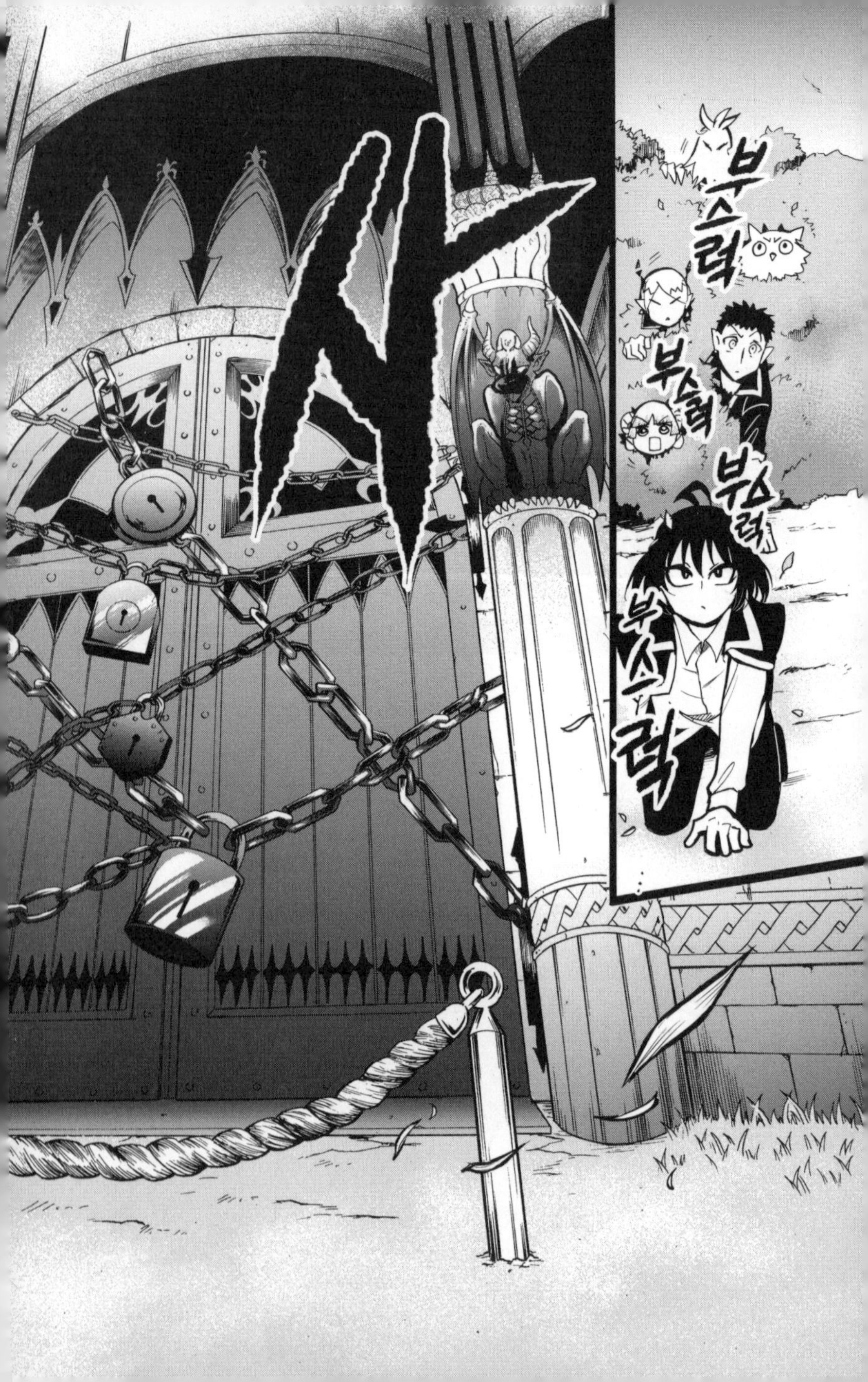

부스럭
부스럭
부스럭
부스럭
사

「로열 원」.
우오오오
이렇게 가까이에서 보는 건 처음이야!
우와~
예뻐~
오~
박력 있네~.
아
아
여기서 수업을 받는 건 정말 무리라고―.
아하하하
―….
일전의 학생회 해산 선거에서

로노웨에게 투표한 녀석.
손 들어봐.
스…
둥…
아니….
크크큭.
너희는?

신사는
레이디 퍼스트가
기본이니까요!
당연히
회장님
께!
투표 따위…!
자기 위의
존재를
고르는 의미를
모르겠다!!
흥!
선거가
뭐야?
?
잘 수 있어…
그래.
너희는
『즐거움』을
선호하고,
자기
욕망 이외에는
흥미가 없어.
그리고
「남들과
다르다」는 것에
일종의 긍지를
가지고 있지.
그야말로…

사욕에
물든
위험한
악마.
「원조 회귀」
예비군이네.
사
아
아

그런 너희에게는 「로열 원」이 매력적으로 느껴질 거야.
안 그래?
수백 년 동안 닫혀 있던 바비루스의 절대 불가침 영역.
최고의 가치를 지닌 교실이자, 더럽혀선 안 되는 마왕의 유물인 그곳을
딱히 흥미도 없는
너희가 쓰는 거야.

꿀꺽…
그러면 『재미있지』 않겠어?
「로열 원」에 들어가고 싶은 녀석이라면 얼마든지 있겠지.
게다가 단순히 설비 자체도 좋다네.
흠
흠
괴상한 형태의 방과 수면실, 단련장도 있고,
안에 있는 비품은 하나같이 비싸게 팔 수 있는 데다
파우더룸도 있나 봐.
그리고 인기도 많아질걸?
흠

어차피 문제아 취급을 받을 거면 그야말로
어브노멀하게 가보자고.
더 설득할 필요 있어?
….
흣―…
아니…. 충분해.
뭘 훔쳐 올까?

…뭐?
그러니까 「교사」인 카르에고 선생님에게 사인을 받는 건 어려우니
제 「사역마」 에기한테 받을까 해서요….
발자국으로요.
교실이 허가서
무슨 생각을 하는 거냐!!
이 자식!
헛소리 마라…!!
이게
내놔라
에이, 괜찮잖아요! 찍자마자 원래대로 되돌려 드릴게요!
버럭
버럭
그런 문제가 아냐!
승부는 한순간….
키이이잉

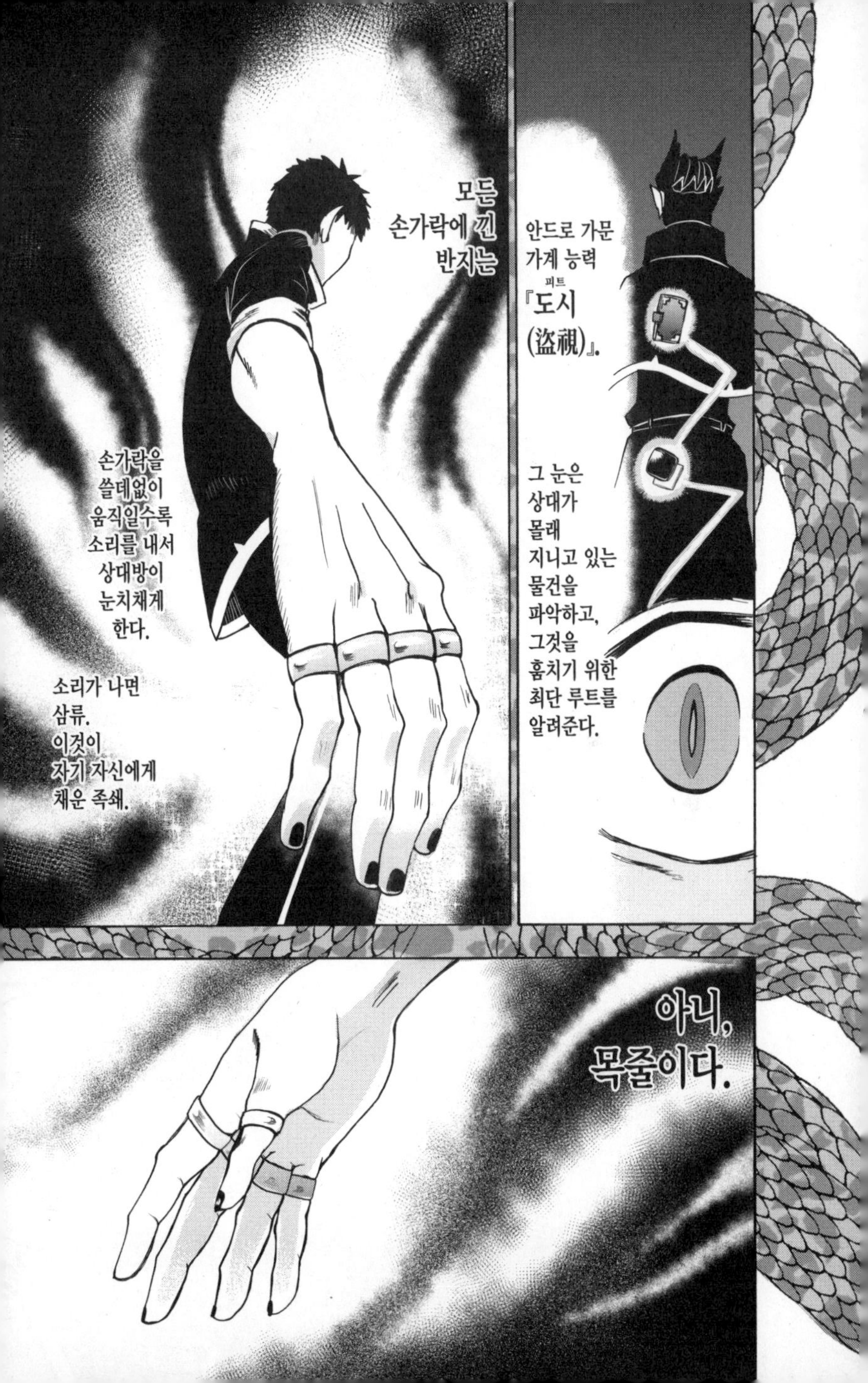
안드로 가문
가계 능력
『도시(盜視)』.
피트
그 눈은
상대가
몰래
지니고 있는
물건을
파악하고,
그것을
훔치기 위한
최단 루트를
알려준다.
모든
손가락에 낀
반지는
손가락을
쓸데없이
움직일수록
소리를 내서
상대방이
눈치채게
한다.
소리가 나면
삼류.
이것이
자기 자신에게
채운 족쇄.
아니,
목줄이다.

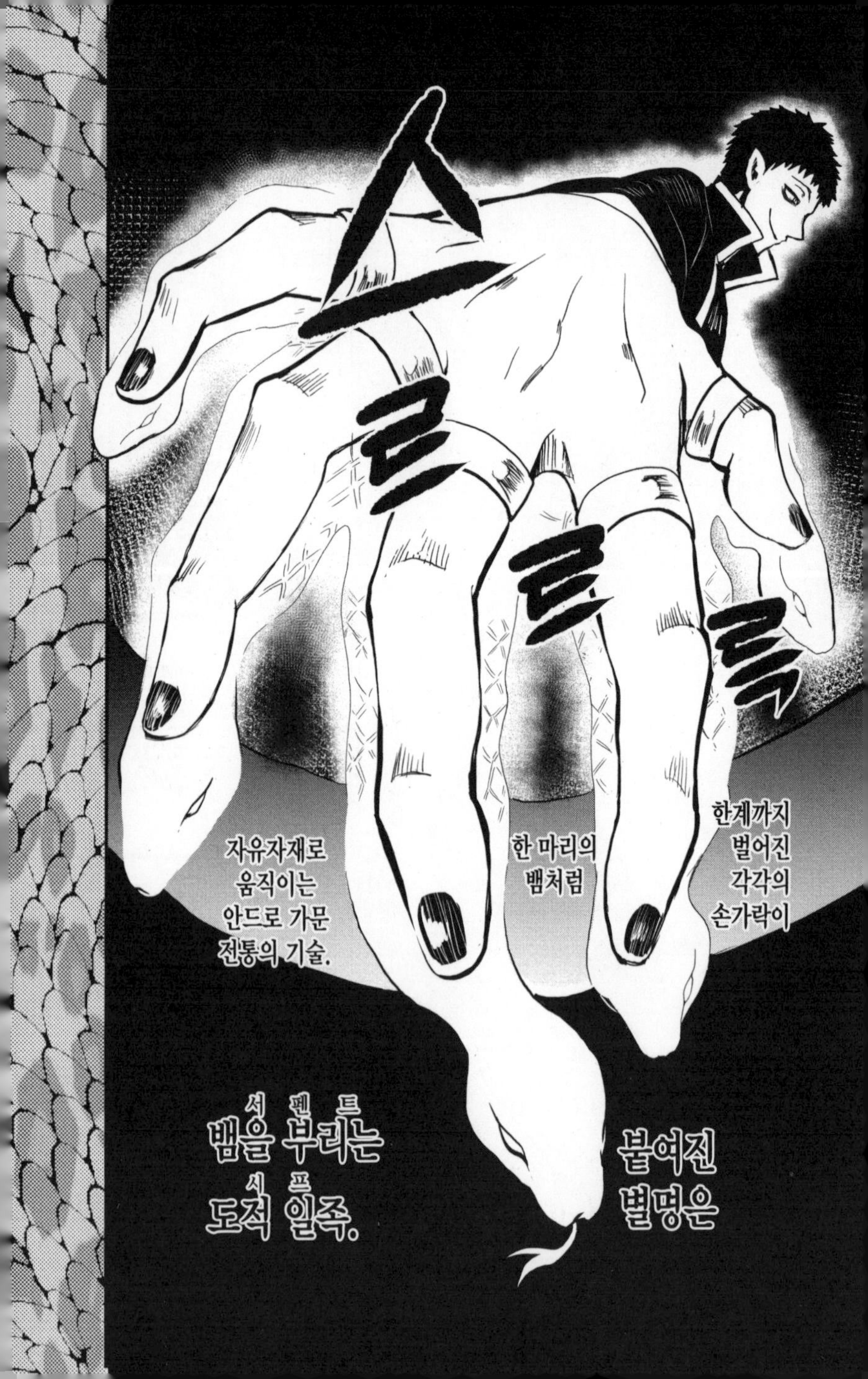
스르르륵
한계까지 벌어진 각각의 손가락이
한 마리의 뱀처럼
자유자재로 움직이는 안드로 가문 전통의 기술.
붙여진 별명은
서펜트
뱀을 부리는
시프
도적 일족.

돈과 도둑질에 흥분하는 안드로 가문의 가훈은
『비천한 짓일수록 아름답게』.
조용히,
공기조차도 전혀 흔들지 않으며
뱀은 언제나
히죽 거리고 있다.

꿀
꺽
잘 들어라!
발자국 같은 건 인정 못 해!!
헉~
헉~
쳇~
알았어요! 그럼 다음에 봐요.
어이.

기다려라.
움찔
네 이놈….
사역마 소환 스티커를 내놔라.
척
되게 눈치 빠르네.
체엣
흥
…….
나이스.
……땡큐.
즐거 웠어요…

이, 이이이, 이건
카카카, 카르에고 선생님의
수, 수수, 수첩…?!
아까 주운 건데 돌려주기 전에 훑어보니
취미에 대한 메모나 휘갈겨 쓴 내용 등
모모노키 선생님이 관심 가질 만한 정보가 잔~뜩 있네.
아니, 그렇지는….
교사로서 동경할 뿐….
허가서에 사인해 주면
넘·겨·줄·게.
끄으으 으응

펴엉!
교실 이동 허가서
승인
한 장 확보.

제57화 바비루스의 교사들

갸-스
갸-스
성큼
성큼
오늘이야 말로!!
어제는 너무 놀라서 아무 말도 못 했지만
삐뚤어진 이루마의 태도를 뜯어고쳐서 착한 아이로 되돌려놔야 해. 그게 할아버지의 소임이야!!
이루마군♥
두둥…!
턱
어엉
이루마!

아,
할아버지….
실은…
이 서류에
사인을
해줬으면
하는데….
아,
안 될…
까….
교실이동허가
음
좋아!!
터어억
슈우우우
와아아
교실이동허가서
이사장님….

제57화 바비루스의 교사들

적재적소.
호오~
각자 잘 맞는 교사와 교섭해줘.
필요한 게 있으면 용무원에게 말해.
허가는 받아뒀어.
이루마 군…. 또 짐 옮기는 걸 도와 주겠니…?
어
진짜야? 지금은 바쁜데….
그리고
씨앗을 심는 것도 좀….
또야! 이제 공간이 없잖아
괜찮아, 괜찮아
거절 못하네~
악주기에도 이루마는 여전하구나.
흠흠
저런 면 또한 이루마 님의 매력!

식물 바트라 밭
깨~
져라.
쿠우웅

쏘옥
서거어억
척
고마워~.
잡초 제거가 큰일이었거든~.
그럼 저쪽도 부탁할게.
후잇
후잇
사인 잘 부탁 드리겠소이다.
후잇.
우리 바트라 소속 교직원들한테도 받아줄게.
아, 차 마실래?
마실래~
응용마술학
도서관 에선 조용히!!

달그락
물질 변환과 성격의 변환.
관련 지식이 더 필요해.
후우—
에메넬의 원리, 아니면 벤체학….
부족해…. 다른 쪽에서의 어프로치로 해명해야….
마술 지식학 교사 푸르카스
머엉~
마다스쿠스의 진화론은?

용장 밑에 약졸 없다.
필기 성적 학년 1위
『백식(百識)의 왕』 알로켈 슈나이더
홍미로운 고찰이네….
덜컹
사인 해준다면
밤새 이야기 상대가 되어주겠어.
…후훗.
까앙!
잠 못 드는 밤이 되겠는걸….
뭐?

푸르카스,
그 할망구가
사인을 해…?
흥
정신이
나갔군!
마술지식학 교사
모라쿠스
역시
모라쿠스 님!
오오~!!
공부에만
힘쓰며
색욕마저
멀리해온 분
답습니다!!
슥…
두욱…
까딱 까딱
솜…
여악마
는….

푸우우우웁
모라쿠스 님???!!
여성이 없는 곳에는 신사도 없다.
변태이자 화려한 신사,
『에로 마에스트로』 카임 카무이.
물 흐르듯 사인을 해주고 있어.
슥
슥
대체 얼마나 음란한 말을 들은 거야?!
마술 개발 바

…진짜?
진짜 입니다.
진짜로 불꽃을 줄 거야?
무상으로?
정기적으로?
네.
선배가 친분이 있고 잘 아는 선생님들에 관해 이야기해준다면 말이죠.

확실히 개발 실험 협력 등으로 친한 선생님이나…
이런저런 정보를 파악하고 있는 선생님이 있지만….
불꽃을 주는 거, 엄청 싫어하지 않았어?
줘~ 줘~ 질 좋은 불꽃 좀 줘~
냉랭
네. 하지만
이루마 님께! 도움이 될 수 있다면 얼마든지 제공하겠습니다!
이루마는 대단하네~.
엉
대단하다니까요~.
에~
빼꼼
뭐
귀여운 후배의 부탁이니 말이야.
저벅
저벅

이루마 씨!
여기, 추가 허가서―….
수부욱
까앗――!!
뭐뭐뭐, 뭐 하는 거예요?!
헉
잠깐어.

요즘 할 일이 너무 많거든.
휴우—…
하아….
추가로 확보한 허가서는 몇 장이야?
음음
6장….
이걸로 모은 허가서는 21장….
남은 교사는 12명…. 일단 예정대로인걸.
교실이동허가서

재미있어하며 사인해주는 교사도 있지만
재미 있는 건
웰컴!
카르에고 경이 반대해서
좀처럼 고개를 끄덕이지 않는 이들도 있어.
으~음…
그리고 강력한 추천장이 있으면 좋겠는데….
…….
저기….
제가… 본모습으로 부탁을 하면… 사인을 해주는 선생님이 있을지도….

『크롬』인 걸 밝히고 싶지 않잖아?
그럼 밝히지 말고
그대로 있어.
휘잇!
뭐, 지금이 승부처인 건 틀림없겠지.
특히 강적인 건
이 둘.

두
웅!!

리~드.
나와
승부해서
이길 승산
있어~~?
점성술 교사
오리아스
하지만 선생님은
게임 이외의
교섭 방법으론
납득 안 할
거잖아요~.
진짜
골치 아픈
고문 선생님
이라니깐~.
여자앨
데리고 온
네가
할 말은
아닐걸~.
그래도
운이
좋네~.
안녕~
지더라도
바로
위로받을 거
아냐.

즈우우우웅

고오오
그 얼굴…. 잊은 적이 없다.
사브노크 사브로.
입학식 날, 대뜸 도끼로 나를 공격하며… 학교를 파괴한 죄.
만 번 죽어 마땅하다.
고오오오
사인은 절대 안 해줄 거다.
정 사인을 받고 싶다면
고오오
나를 쓰러뜨려 봐라….

다들,
지금부터가
승부처야.
나도
승부에
나서겠어.
정
벅
…
회장님──!
이루마가
찾아오겠
답니다.
후두
둑

게임 바트라 클라라 고안 게임『응쟈라카』
제가 만들었습니다.
· 교대로 말을 옮깁니다.
발끈쟁이는 상냥쟁이보다 셉니다.
30분에 한 번 춤춥니다.
(응쟈라카 타임)입니다.
성실 군과 조신 양은 싸우지 않습니다.
마지막에 말을 더 많이 가진 쪽의 승리!
망한 게임이군….
제58화 뛰어난 악마

말 숫자 1056개.
기본적인 목적은 말의 탈취…. 하지만 말이 멋대로 이동하거나 진화하는, 그야말로 바보가 생각한 게임이야.
게다가 ….
나는 아무것도 안 보이는 건가.
키이이이잉
샤크스 가문 가계 능력
감각 강도(컨트롤러)
상대의 오감을 일시적으로 빼앗을 수 있다. 빼앗은 부위는 검게 변한다.

그래….
종잡을 수
없는
게임에
시야까지
빼앗기다니,
정말이지…
얕보였군.
슥…
달그락…
겨우
그 정도로는
내 별에
전혀 영향을
끼칠 수
없는데
말이지.
오리아스
오즈왈
가계 능력
러키 해피
점성(占星)
획득상자

행운은
항상 나를
찾아오거든.
너는
나한테
못 이겨.
그래….
네놈은
나에게
이길 수
없다.
그 어떤
공격도
나에게는
무의미
하거든.

부에르 불센코
가계 능력 힐 반영구
그 어떤 상처도 마력이 남아 있는 한 순식간에 낫는다.
절대적인 복구 능력.
그렇다. 그 어떤 상처도 금방 아문다.
허나 고통은 그대로 남는다.
고통을 가볍게 여기는 녀석은 딱 질색이다.
네놈은 사욕에 휩싸여 나를 공격했지….
잉이이키
만약 또 힘으로 나를 굴복시키려 한다면
움찔…

고통의 무시무시함을 가르쳐주마.
네놈이 꼬리를 말고 도망칠 정도의 고통을 안겨주지.
엇,
떠듬 떠듬
어서 와라, 이루마!
목소리가 흔들렸어! 평상심, 평상심!!
시간을 내주셔서 감사합니다….
지금이 승부처야.

학생회의 추천장을 받는다고요…?
그래. 학생회는 교사에게도 막대한 영향력을 지녔어.
회장님에게 인정받을 수 있다면
그보다 더 강력한 한 수는 없겠지. 그러니 운을 하늘에 맡기고
승부해볼 수밖에.
저희가 뭘 하는지는 알고 계실 겁니다. 그러니 바로 본론에 들어가죠.
저희가 「로열 원」으로 이동할 수 있도록 추천장을 써주셨으면 합니다.
안… 될까요?
—….

사인쯤이야 얼마든지 해주겠어——!!
…라고 말하고 싶지만, 신중해야 해!!
부들
부들
슥 슥슥
압니다.
학생회장이 함부로 움직일 수 없다는 걸…. 만약 조건을 제시하신다면, 그게 무엇이든 제가 받아들이겠습니다.
뭐?!
학생회가 일부 학생을 편애할 수 없다는 것도 압니다.
하지만 부디 검토를….
——….
왜,

왜 그렇게까지 「로열 원」에 집착하는 거지…?
네 욕망의 본질을 알지 못하면…
학생회장인 나도 고개를 끄덕일 수는 없다, 이루마….
…….
당신에게는 숨길 필요가 없겠지….
내가 가장 마음에 안 드는 건 어브노멀 클래스가 지금 받고 있는 취급이야. …나는
바비루스의 모든 이들이 인정하게 만들고 싶어.
문제아인 그 녀석들이 우수한 악마라는 걸 말이야.

ㅉ 등!
???
???

어? 어?! 왜 진 거지?!
절대적으로 우세했는데, 대체 왜…?!
훽
왜 나는 봐주고 있는 거야!!
마치 일부러 져준 것처럼… 저 녀석이 뭔가….
획득 상자
…아냐.
설마

그녀 인가!!
익스 엘리자 베타
가계능력
풀 러브 게이지
호감도
그 어떤 자도 그녀에게 호감을 가지며 그녀에게 유리하도록 행동한다.
흔들…
헉!
후각 인가….
시각뿐만 아니라 후각도 빼앗겼을 줄이야….

맞아! 그녀의 향기를 맡은 선생님은 우리에게 유리하게 행동해…. 즉 선생님의 운은 우리를 위해 쓰여.
솔직히 말해 시각과 후각을 동시에 빼았는 건 마력 소비가 극심해서, 시간 싸움이었지….
음…. 속이는 쾌감과 소모하는 스릴.
어떤 감각을 빼앗아도 역시…
이 두근거림에는 못 미친다니깐!
이래서 도박을 관두지 못하는 거야.
교실 이동 허가서
서 고
각종 상황에 대한 대처의 일환으로 학업에 임하는 교실의 이동 및 환경 개선에 동의한다.
상기의 내용에 동의할 경우 그 어떤 상황에서도 이것을 파기 할 수 없으며, 파기할 경우

넙
주...
!!!
!!!

입학 초의 폭행 건.
이 자리에서 깊이 사죄하겠다.
당시의 이 몸은 힘이야말로 모든 것이며, 더욱 강해진다면
마왕에 다가설 수 있다고 여겼지.
하지만 그렇지 않았어.

아무리 육체가, 의지가 강할지라도
배려심이 없다면 아무것도 해낼 수 없다.
다른 존재를 배려하는 마음이 없다면 왕이라 불릴 수 없다는 것을 라이벌에게 배웠지.
귀공을 공격한 이 몸의 행동은 잘못됐어.
결코 용서받을 수 없는 짓일지도 모르나
이 자리에서 진심으로 사과하며 용서를 빌겠다.

—…악마가
날갯죽지를
보여준다는 건
최대한의
존경과 복종,
그리고 사죄를
의미하지…….
네가
그걸
하다니
….
투욱
너무한데.
너무 놀라서
분노가
다 날아가
버렸어.
좋은
라이벌을
뒀구나….

어브노멀 클래스에는 확실히 이상한 악마가 모여 있어.
하지만 자유분방한 걔네가 나는 마음에 들었고, 부럽다고도 생각해. 주위에서도 나처럼 그들의 장점을 알아야 한다고.

걔들을 제대로 봐줬으면 해.
어브노멀 클래스의 재능을 믿고
힘을 빌려줘.
가, 가까워!!
가까워, 가까워, 가까워!!
「로열 원」의 가치는 알고 있어.
그러니 손에 넣는다면, 주위의 시선도 달라질 거야.
아메리.
뻐끔 뻐끔

…하아, 긴장했어….
이판사판의 도박 이었다고….
휴우—…
하지만 덕분에…
교실 이동 허가서
교실 이동 허가서
교실 이동 허가서
파잔
다 모았어!
와아!
남은 건 한 장!
예이~…

기왕 할 거면! 반드시 해내라!
교실 이동 허가에 관한 추천장
너희들, 진짜로 실현시킨다면 정말 대단한 일이야!
그 열의로 상식을 넘어서도록.
교실 이동 허가서
힘내!
기대하고 있겠어!
응원할게!
제59화 광대의 기적

흥!

제59화 광대의 기적

약속한 「교직원 전원의 허가서」야.
사흘 안에 모아왔어.
펄럭…
확인해 달라고.
오오!!
…흠. 확실히
교원 36명의 허가서를 모아왔군.
교실 이동 허가서
승인

남은 건
당신의
사인 뿐인데
엄숙하게
평가한대놓고,
사인을 안 한다…
같은 소리는
안 할 거지?
…….
그래.
다른 이들의
허가서를
다 모아온다면
나도 사인을 하지.
훅―…
좋았어!
휴우―
그런데
진짜로
「로열 원」으로
옮기는 거야?!
이야―
와아
그럼 빨리
사인을….
그러
므로
슥….

사인은 하지 않겠다.
펄럭…
……
어.
안 한… 어.
왜?
뻔하지 않느냐.
부족하기 때문이다.

나는 「교직원 전원의 허가서」라고 말했다.
이건 교원 36명의 허가서….
척…
하지만 교직원에는
식당 종업원, 매점 직원, 청소원, 도서관 사서 등 모든 이들이 포함된다.
이 바비루스에 근무하는 전원을 말하는 거지.

그게 무슨 소리냐!!
너무해!
그럼 애초에 그렇게 말해 줬어야지!
흥
인식의 차이다.
카르에고 경, 아무리 그래도 이건….
조용.
조용히 해라.
너희는 항상 이렇지.
매사에 깊이 생각하질 않아.

재미있어 보인다고 바로 손을 뻗어
불을 쥐려는 어린애처럼 말이다.
네놈들이 건드리려 하는 건
업화다.
고오오
이 마계의 기초를 다진 분이 남기신 고귀한 업화….
이 학교가 지켜온 소중한 불씨를 만질 생각이라면

나에게는
이 학교를
지키는
문지기로서
너희의 목을
물어뜯을
의무가 있다.
오싹
사고력이
없는 자는
광대에
불과하지.

그리고
그 불길에
몸이
타버리고
말 거다.
꿀꺽…
뭐,
이만큼의
허가서를
모은 건
평가해 주지.
현재 교실의
수리 정도라면
타진해주마.
허나
「로열 원」으로의
이동은
허락 못 한다.
이걸로
이 건은
마무리된 거다,
이루마….

똑
똑
빼꼼
이루마 군,
여기
있나~?

용무원 아저씨…?
무슨 일이야?
아
이루마 군이 곤란해하고 있대서
허가서? 라는 걸 가져왔단다.
자아, 받으렴.
영차—
어.
…….
고마워.
하하하
플러스 1!
이제 와선…
기쁘긴 하지만 말이야.
응?
뭐야, 부족하니?
어이~.
역시 더 필요하다네~.
웅성
웅성
웅성
웅성

여기 있네.
웅성
우
오—.
넓어~.
웅성
웅성
글
어이~. 이루마~. 무슨 서류가 필요하다며?
시끌
여어
교무실엔 처음 와봤어.
허가서 라는 건 이거지?
모두의 몫을 다 가져왔다고.
시끌
오~

왜….
그야
이루마는 항상 건물 수리를 도와주고
곤란하다며?
안 그래?
가게도 대신 봐주지.
이루마의 먹성은 식당 팀 전원에게 좋은 자극이 되거든!
응?
형씨들도 이것저것 도와주잖아?
오리아스 선생님을 이겼다며?
꽤 하네
또 재미있는 일을 벌였네──.
항상 도와줘서 정말 고마워!
또 청소 비법 알려줘!
다음 잡초 뽑기 승부 때는 안 질 거야~.
짐 옮기는 걸 도와줘서 고마워.
무슨 일 있으면 말해!
우리는…

이루마 군의 팬이야!
훗.
훗.
후훗.
아하하 하하!
그래! 팬이 구나!!

하하~
고마워.
툭
그래!
자아,
카르에고 경.
당신의 주장은 전부 옳아…. 우리는 아직 미숙하고 마무리가 어설프지.
빙글
남들에게 비웃음을 사고, 무시당하고…. 확실히 어브노멀 클래스는 광대 같네.
하지만 이번 일… 그리고 오늘만은

이게 바비루스 전체의 뜻인 것 같아.

광대는 어리석지만, 민중의 마음을 움직이지.
다들 어브노멀 클래스가 「로열 원」에 들어가는 모습이 보고 싶어진 거지….
흥미의 승리야.
툭…
서류가 갖춰지면…
사인
해주기로 했지?
히히
~~~~윽.
~~~~

어브노멀 클래스!
『로열 원』으로
꾸우욱
악

이동
결정——!!!
와

당했군요.
와 아아아 아 아
하아-…
—… 정말.
벅벅
항상 뜻대로 안 되는군….
교실 이동 허가서
이 문제아들은….

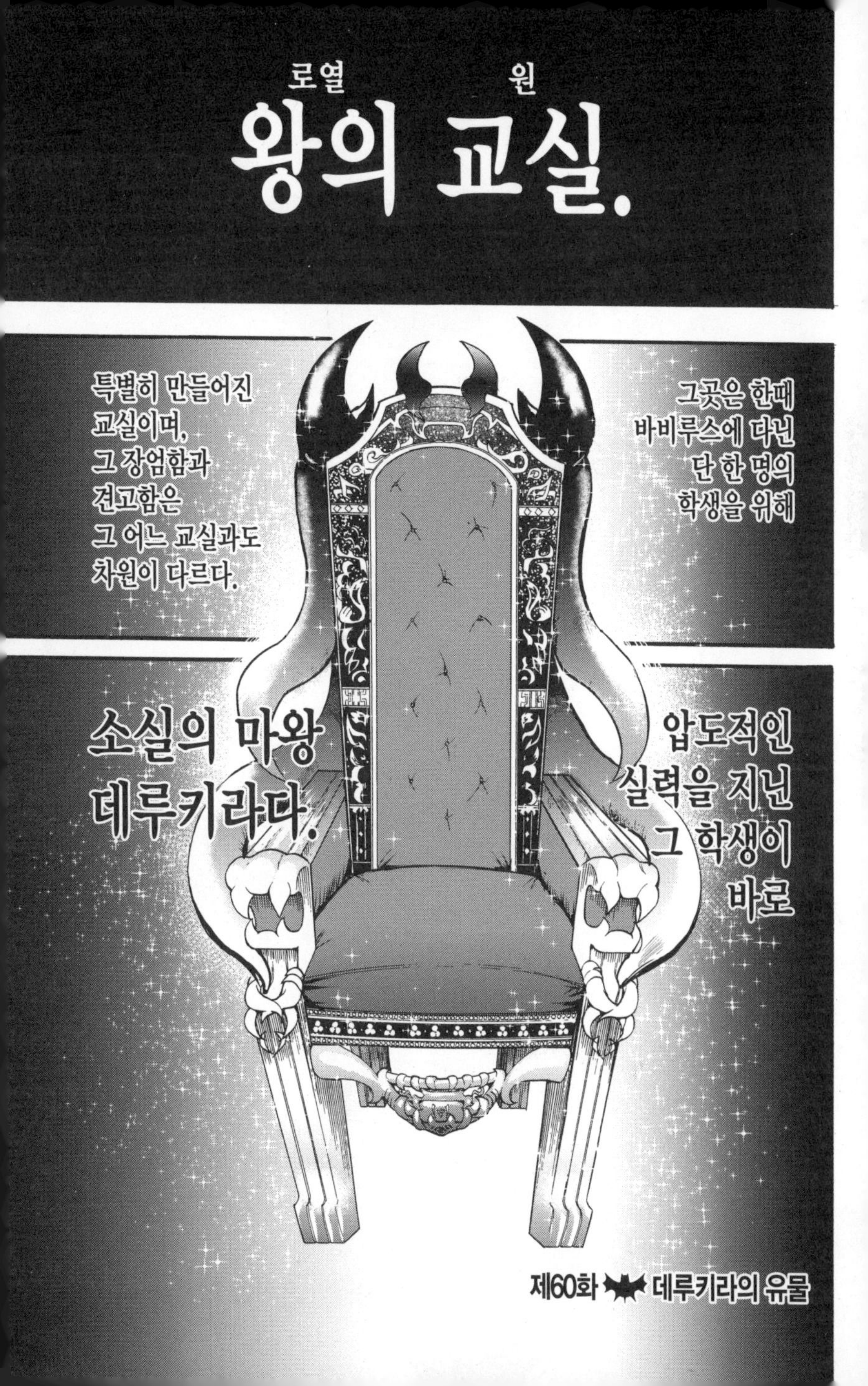
로열 원
왕의 교실.
그곳은 한때 바비루스에 다닌 단 한 명의 학생을 위해
특별히 만들어진 교실이며, 그 장엄함과 견고함은 그 어느 교실과도 차원이 다르다.
압도적인 실력을 지닌 그 학생이 바로
소실의 마왕 데루키라다.
제60화 데루키라의 유물

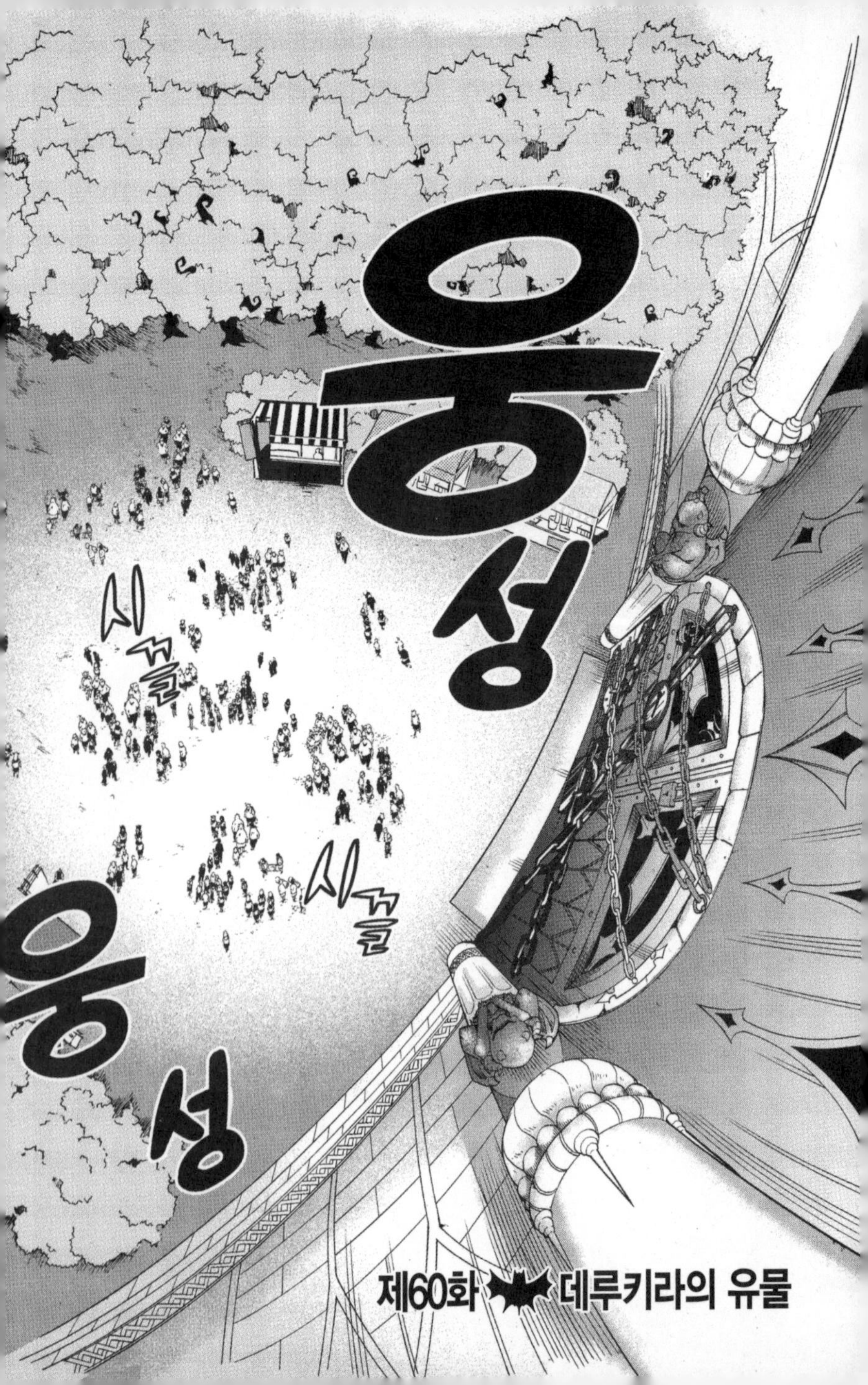
웅성
시끌
시끌
웅성

제60화 데루키라의 유물

오~
구경꾼 엄청 많네~.
그야 뭐
「로열 원」의 개방일이잖아.
시끌
시끌
이야~
그것만이 아닐걸~.
리드한테 진
오리아스 선생님!
흐흠
괜한 소리 말라고.
아무튼, 다들 「로열 원」만이 아니라 너희를 보러 온 거야….

우리를?
그야 찬사 받아 마땅하잖아?
잘 생각 해보라고.
카르에고 선생님에게 당당히 맞서서 무모한 승부를 벌이게 된 걸로 모자라
멋지게 승리를 거둬서
「로열 원」이라는 엄청난 포상을 손에 넣었지.
파지
너희는 『이상한 반』 에서
『이상하지만 대단한 반』이 된 거야.

그러니 더 좋아해… 도….
우뚝…
왜 그래?!
왠지 멋쩍어서….
어?!
꾸물
꾸물
능력을 제대로 칭찬받는 것에 익숙하지 않아서…. 손? 손을 흔들어주면 돼?
부절
안절
아하하하
부끄러워 하는거냐!
만족 했느냐.

동급생들이
제대로
평가받는 게
목적이었지?
네.
이사장님의
최종 확인은
마치셨나요?
그래.
「쓸 수
있는 건
써라」라고
하더군.
다들 힘냈으니까
교실개방허가
승인
슬슬 열어도 괜찮겠지~
역시
할아버지~!
아!
에기
선생님이다!
오
오
오
오
열쇠는
?!
열어줘!
열어줘!
다들,
문
열 거야
~!
술렁
술렁

이 자리 에서
철컹
「로열 원」의 개방을 선언한다.
자르륵…
이 앞이 바로
오오오오오오오
우리 학교가 자랑하는 왕의 유물이자, 네놈들의 새로운…
끼이이이이익

성~!
짜
아

안...

와앗――.
끝내 주네!
넓어!
상상했던 것보다 몇 배는 더 호화롭네!!
대박!!
천장이 높아~♡
멋져
이것도 비싸 보이네.
야
사브로, 엄청 울고 있잖아!!
울먹
울먹
응!
기쁘겠지!!
마왕 마니아잖아!!

2층도 엄청 호화롭소이다~.
자아~ 진정해
방도 엄청 많네….
와아~
오.
오~
칠판!
여기가 교실인가?
데루키라 님이 완전 보관 마술을 걸어놨다는 게 진짜였구나.
오토 키프
깨끗한 상태네
마치 마왕의 마력에 싸여 있는 것 같습니다!
이루마 님!!

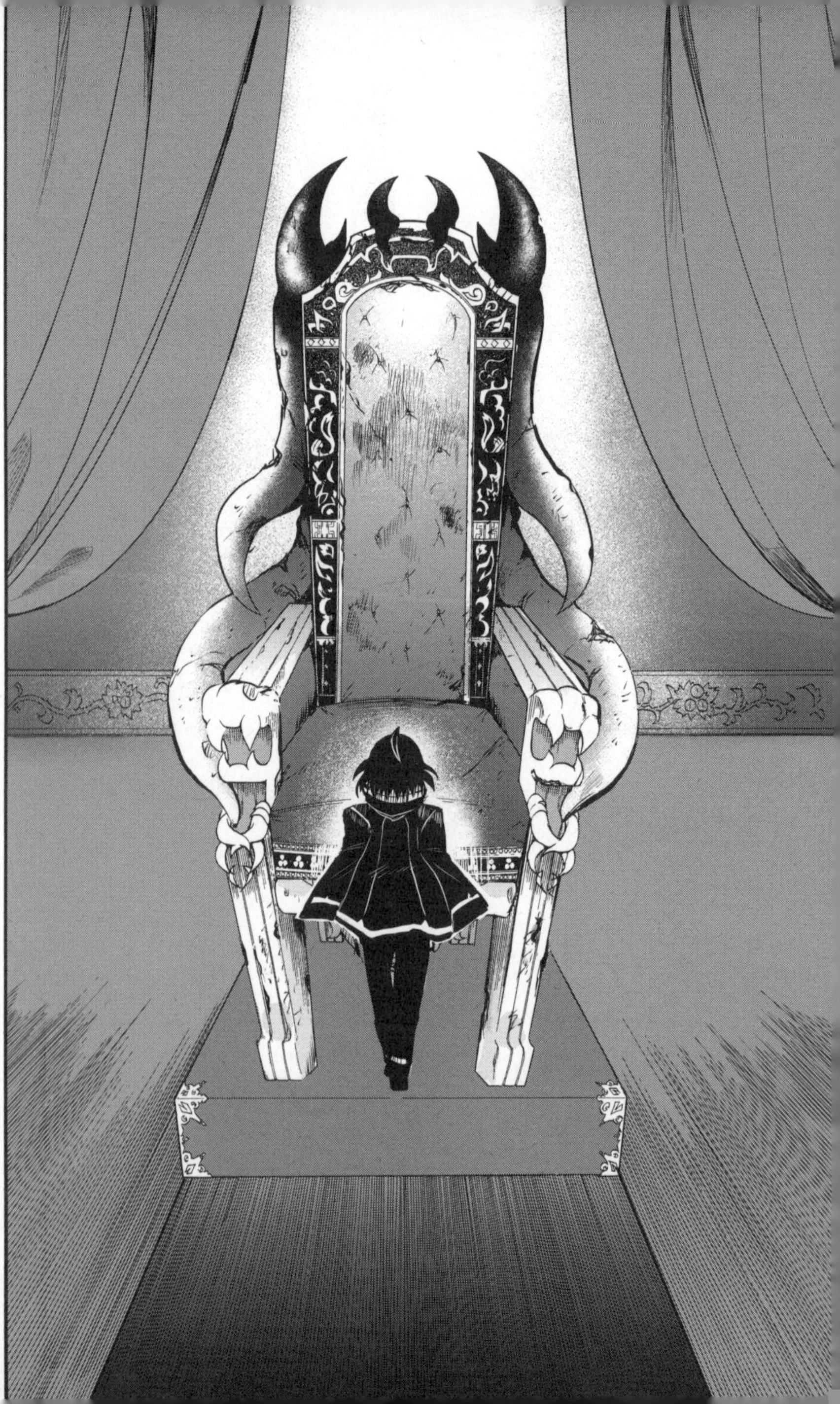

그…건
마왕의….
그 순간
누구도 움직이지 못했다.
의외로
괜찮은 게 있잖아.

그 모습이
흥..

마치,
마치…

갸-스
갸-스
……….
펑-엉
굿 모닝~. 이루 도령!
겨~우 원래대로 돌아왔구나! 아아~. 정말 마음 졸였다고! 의외로 마술이 세게 걸렸지 뭐야~. 이 아리 씨도 깜짝 놀랐지. 스스로의 힘이 두려워졌달까~. 아하하하하.
꺄야
꺄야
톡
톡

덥석
정말~. 이루 도령이 무서워서 이몸은 나와보지도 못했….
아으아
왜 멋대로 그런 짓을 한 거야아아아~.
아리 씨 때문에 나,
다른 애들한테 심한 짓을 했잖아아아아.
쥐구멍에라도 들어가고 싶은 심정이거든?! 어쩌지?!
정말 흔들
정말 흔들
아~. 역시 기억이 남아 있구나~.
정말 잘못했습니다!

걱정을….
우에에에에
에에엥
괜찮냐
어서 와, 이루마아아아~. 다행이야아아아아.
흑
흑
흑
정말 다행입니다.
미안해….
이루마쩌
이루마쩌
이루마쩌
이루마쩌
이루마쩌
아뇨!!
악주기의 이루마 님도 멋있으셨습니다!!
하지만 역시 평소의 이루마 님이 최고라고나 할까요…!!
이, 일전에는….
시,
시시시, 신경 쓰지 마!!

술렁
술렁
그렇게 사과 안 해도 되는데….
하지만
푸쉬이이이익
넙죽~
나 때문에 다들 그런 고생을…. 정말… 정말….
죄송합니다…
흑~
아니
우리 화 안 났어.
오히려 즐거웠거든?
맞아.
괜찮아!!
…응.
…이리 하여

소동은 막을 내렸고…
혹시
같은 반 애들과 조금은 친해졌….
꾸욱
이루마는 이쪽이야!
어.
휘유—!
이야, 전하~!!
부끄러워…
클래스 메이트에게는 꽤나 놀림을 당하게 됐다.
내일은 이 몸과 자리 바꾸는 거다, 이루마!!
자아 포주
스즈키 이루마(14), 성격 개변 후
「로열 원」 획득.

제61화 바라마지않는 미래
이루마찌, 여기 봐! 고양이다, 고양이!!
으응.
엉
길고양이를 만지지 마라!
진흙 묻는다!
그것보다 이루마 님!
오늘은 학생식당에 새로운 메뉴가…
나는 흐물흐물 런치!
네가 뭘 먹든 내 알 바 아니다!
으음.
게다가 그건 생김새가 너무 비천해 보여.
어!
컬러풀해서 귀여운데~.
어디가.
…저기~
말이야.

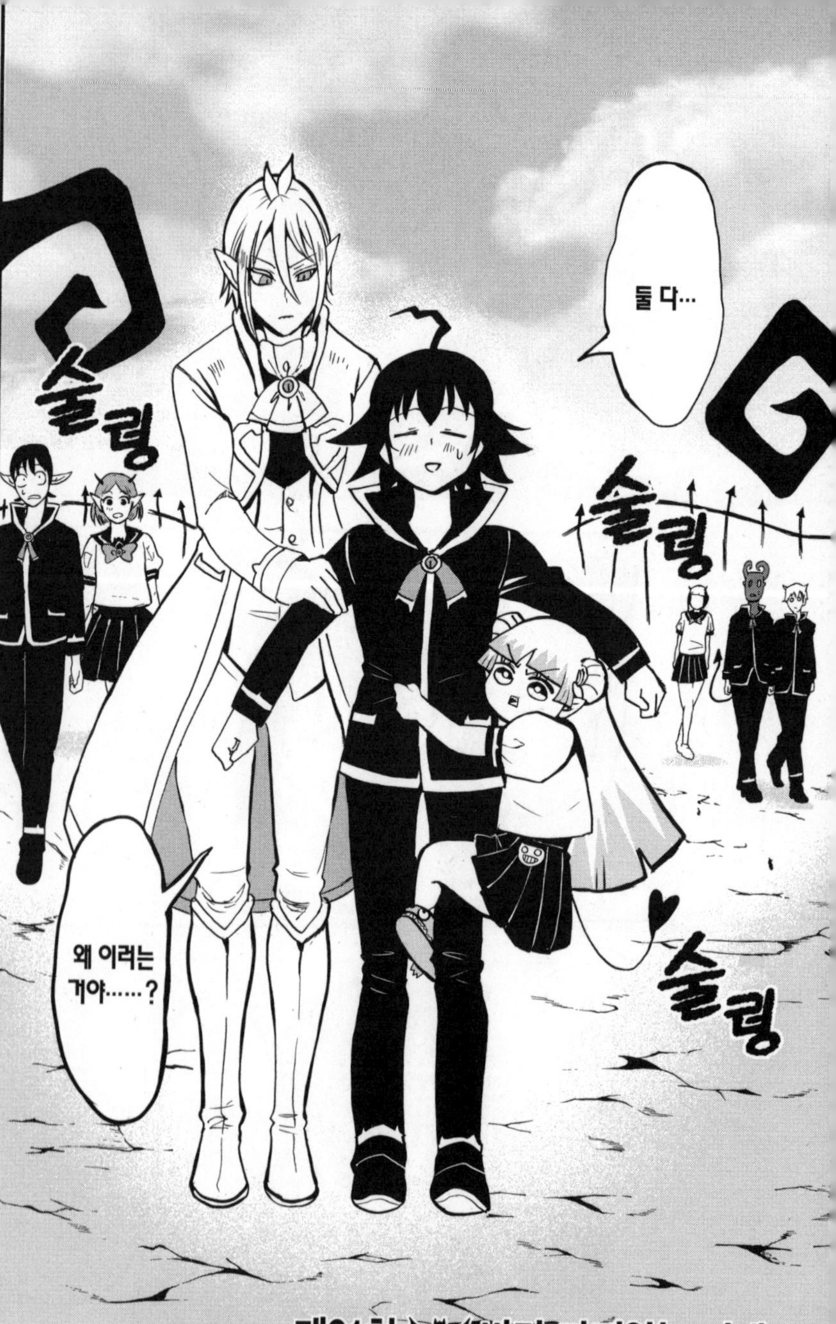
둘 다…
슬렁
슬렁
슬렁
왜 이러는 거야……?

제61화 바라 마지않는 미래

우와
엄청 열렬하네.
클라라는 내가 또 악주기가 되는 건 아닌지
불안한가 봐….
불안 하다니….
꼬오옥
…
악몽을 꾼 어린애 같잖아.
아즈는?
나는 측근으로서 이루마 님의 사소한 변화까지 알아차리기 위해 곁을 지키는 거다!!
버럭
아니
거의 들러붙어 있잖아.
쓸쓸했나 보네.

이루마는 인기가 많네~.
으, 응.
사브로 다
떨어지지는 않는구나.
어이, 희귀 짐승. 안 기어오를 거냐.
자아
간식이야~.
아즈아….
아, 잘못했습니다.
그렇게 붙어 있으면 이루마가 난처할걸?
얏 그렇구나
ㅋ
미안해
추윤욱…
털썩
이거 틀렸네.

그럼,
우리도
확 들러붙자.
히히힛
어.
음,
좋다.
아니
사브노크는….
잠깐.
……
꼬오옥…
너희들,
뭐 하는
거냐….
기분
나쁘게…
—
그럼
프린트에
적힌 대로
하아—…
내일부터
수업이
단축된다….

수업이 줄었다고 좋아하지 마라.
네~…
태도 되게 별로네….
턱도 괴고 있어
저렇게 앉아서…
자기 마음대로 하기로 작정했나 봐.
뭐
곧 있으면 종말일이니
다들 준비를 해두도록.
오오오~!!
종말?
장기 휴가입니다. 바비루스의 수업이 없으니
다들 본가에 돌아가거나 바트라에 집중하며 보내죠.
흐음
야호―!
휴가다―.
끼
놀아야지―.

휴~가! 오예 휴~가!
예정표
뭐, 그 전에 필기 시험이 있겠다만….
우뚝…
필기…?!
오싹…

잠깐만! 종말 시험이 필기인 거야?!
그래 처음 듣거든!
비행과 마술은 했으니 말이다.
물론 낙제를 받으면 보충 수업을 들어야 한다.
예정표를 봐라
히이이익
말도 안 돼!!!
교실에 어울리는 점수를 받도록.
즐겁다.
흥
담임, 웃고 있어!!
정말.
히이익 어쩌지
평소에 준비를 안 하다니, 참 어리석군요. 안 그렇습니까, 이루마 니….
대—앵
이루마 님?!!

마구여
아미 키리오
이루마
아스모데우스 아리스
발락 클라라
공부를 잘 못한다고요?
못한달까, 하는 법을 잘 몰라….
그랬군요….
하지만 이루마 님이라면 괜찮으실 겁니다!
응응!
시험 정도는 식은 죽….

두우~~웅
죄송 합니다.
어, 앗. 저야말로!! 죄송합니다!!
이루마찌, 글 못 읽어?
읽을 줄 알아….
이거 큰일이네
윽~
그래! 이사장님의 마술로 마계의 문자는 번역돼.
…하지만
말이 심하잖아

Q. 구두 마술을 통한 전황에서 지정 외의 금기 주문이 행사됐을 경우, 이 힘이 미치는 범위를 답하라.
뭐라고 쓰여 있는지 알아도, 무슨 소리를 하는 건지 전혀 모르겠어…!!
으으윽
와아
이루마찌, 못난이!
어쩔 수 없군~
클라라 누님이 가르쳐 줄까~?
어.
서, 설마
후후훗.
짜~안
이걸 보시라!
아아아아아.
You~ are~ 나보다 바보.
크억.

전혀 반박
못 하겠어….
선생님~
이라고 불러봐
클라라 선생님~
—…
아즈도
이번에는
실망했을까….
그럼
시작
하겠
습니다
어
뭘?!
불가사의한
분이야….
그 어떤 난관도
극복하는 실력을
지녔으면서
세상
물정에는
어두워….

악마 중에서 저렇게 상냥한 자는 흔치 않아….
그렇기에
저 상냥한 마음을 통해, 저분의 커다란 그릇을 느껴왔어.
그리고 그 순간
당신이 마왕의 의자에
앉은 바로 그때….
나는 그 자리에서
미래를 봤다.

왈칵
아즈?!
왜 그래 …….
이루마 님이라면 만점을 받을 수 있습니다!!
뭐어?!
휘융!!
방과 후에 여기서 같이 공부하죠!
모르는 부분이 있으면 제가 온 힘을 다해 가르쳐 드리겠습니다!!
이번 시험의 성적 상위자는 랭크가 승급되죠!!
!
다레스 「4」로 올라갈 기회예요!

실망 안 한 거야…?
셋이서 함께 싸우면 시험 따위 박살 내줄 수 있을 거야!
함께 힘내죠!
…응!
좋아!
셋이서 힘을 합쳐
만점을 노리자!!
오오

덜컹
이 몸, 등장!
오늘부터 신세를 지게 됐다. 잘 부탁한다, 동지여!!
…뭐?

그래
갑작스럽겠지만… 결정된 사안이다.
시넬에게 학생회 업무는 벅차서 말이지…. 그래도 눈을 떼면 위험하니까
회장님을 찍지 말라고 했을 텐데~!
첫
내 눈이 닿는 범위에서 신용할 수 있는 바트라,
그리고 2학년이 없는 바트라에 보내자고….
그래서
마구연에 보낸 거예요?
이몸의 책상은 이거~
시넬은 독학으로 성격 개변 마구를 만들었지…. 언동은 엉망진창이지만 재능은 있을 거다.
흐흥~!
마이 와이프 이즈 히어~
저기…
잘 부탁한다.

그렇게 됐으니 잘 부탁….
고오오
돌아가!!
모처럼 셋이서 힘내기로 했는데!
꺄아아아아
아니?!
이 몸은 선배라고!!
마구 연구 바트라 신입 단원.
「에리고스 시넬」 획득.
「악마에 입문했습니다! 이루마 군」 제⑦권/끝
참고로
점수가 나쁘면 랭크가 강등됩니다!
힘내죠!
어
종말 시험의 결과는 과연?!

「흡혈귀는 툭하면 죽는다」 ✕
「악마에 입문했습니다! 이루마 군」
스페셜 컬래버!!
이것은 주간 소년 챔피언 2018년 22+23호에 게재된 컬래버레이션 일러스트입니다. 본노키 이타루 선생님이 그리시는 「흡혈귀는 툭하면 죽는다」 등장 캐릭터의 코스튬을, 이루마 일행이 착용!! 주간 소년 챔피언의 대인기 판타지 코미디 두 작품의 꿈만 같은 협연이었습니다!
이루마 군
[드라루크 Ver.]
클라라
[존 Ver.]
아스모데우스
[로널드 Ver.]
다음 페이지부터 7권의 「각 화의 보너스」 스타트!!

54화의 보너스

휙
소문 자자한 이루마야….
오라가 상당해~.
느낌이 전혀 다른데.
웅성 웅성
뭘 먹고 있는 걸까?
우물ー
어라?
평소의 이루마 잖아….
? ? ?

55화의 보너스

휘익
어이쿠.
또 무심코 훔쳤네….
수첩…. 이건 바로 돌려주는 게….
슥
펄럭…
없어! 나의 갓(god) 사진첩이 없어!!
어째서 ?!
옷 벗으면 안 돼ー
나중에 아스모데우스를 통해 돌려줬다.

56화의 보너스

하, 학생한테 뇌물을 받았어….
역시 이러면… 안 돼.
저기
바로 돌려주자…!
이거… 학생이 주웠다고….
『주웠다』 …라.
훗
고맙습니다.
뇌물 받기를 잘했어.
우… 웃어 줬어.
참고로 수첩의 내용은 이미 다 베껴뒀다.

57화의 보너스

악(惡) 루마와의 교섭.
실례합니다
기, 긴장돼.
하지만… 왠지 평소와 분위기가 다른걸….
지그시…
당당… 하달까….
상대는 학생회장! 긴장 풀지 말고 당당히 응대해야 해…!!
좋아!
뭐, 이쪽도 이쪽대로…!!
이야기를 들어 볼까!!

58화의 보너스

그건 그렇고, 누님의 가계 능력은 끝내주네~.
호감도 MAX면 최강이잖아!
어머.
여러모로 제약이 있거든? 『밀실』이라든가, 『거리』라든가….
『좋아하는 남성에게는 쓰지 않는다』
라든가♡
최고임다!!
누님은 그런 능력이 필요 없다고 생각해요!!
열변을 토했다.
뭐?

59화의 보너스

이루마 군!
사진… 찍어도….
뭐?
훌쩍
훌쩍
…….
하아—
벌떡
꾸욱
찰칵!
가, 감사합니다……!
흔들
흔들

읽어주셔서 정말 감사합니다.

THANK YOU FOR READING

너희의
감상을
기다리고
있어.

〒102-8107　東京都千代田区飯田橋2-10-8
秋田書店 週刊少年チャンピオン編集部気付 西修先生宛

후기

7권~~~~~!

'이루마, 나빠지다' 편!

이루마의 성격 개변은 연재 개시 당초부터
하고 싶었던 이야기이며,
실현해서 정말 기쁩니다!
이런 갭이야말로 제 취향이자,
좋아하는 요소라는 것을 깨달았습니다.
하지만 성격이 바뀌었어도, 베이스는
이루마이니 완전히 딴판이 되는 건
좀 아닌 것 같았습니다.
악루마는 이루마의 감정 표현에 채워진
족쇄가 풀린 모습입니다.
「악루마도 이루마다」, 이 점을
이해해주셨으면 좋겠습니다.
다음 권에서는 이루마의 새로운 일면을
보여드릴 수 있을 거예요.
두 눈 크게 뜨고 봐주시길!

믿음직한 동료들

스태프 THANKS

· 카와사키 츄 씨
· 나카자토 하루나 씨
· 니시자와 씨
· 노나카 카즈키 씨
· 오사이 씨

감사, 또 감사

곰 이모티콘 마니아인 담당자

· 니시야마 씨

스페셜 THANKS

컬래버레이션 감사합니다!!

· 본노키 이타루 선생님

악마에 입문했습니다! 이루마군 VOL. 7

2023년 10월 30일 제1판 제1쇄 발행
2024년 8월 30일 제1판 제2쇄 발행

작가 | OSAMU NISHI
번역 | 이승원

발행인 | 오태엽
편집팀장 | 이수춘
편집담당 | 이혜리
미술담당 | 최진주
표지 디자인 | Design Plus
라이츠사업팀 | 이은선, 박경진, 정선주, 신주은
전략마케팅팀 | 김정훈, 이강희, 정누리
제작담당 | 박석주

발행처 | (주)서울미디어코믹스
등록일 | 2018년 3월 12일
등록번호 | 제 2018-000021
주소 | 서울특별시 용산구 만리재로 192

인쇄처 | 코리아 피앤피

MAIRIMASHITA! IRUMA-KUN vol.7